für Swaantje, Sonja
und Tim

Illustration: Eva Maria Johannsen

Übersetzt
ins Plattdeutsche von Carl Scholz
ins Englische von Geoff Hunter
ins Französische von Martina Kehl
ins Italienische von Andrea Fiedler
ins Holländische von Cornelius G. den Hertog
ins Spanische von Ilse Wüstenfeld
ins Portugiesische von Gilma Tietler
ins Russische von Rudolf Gering
ins Japanische von Eiko Fujita
ins Türkische von İnci Dirim
ins Lateinische von Bernardus Magnus Ensefilius

Folgende Ausgaben sind erschienen:

Englisch – Deutsch	Italienisch – Deutsch	Portugiesisch – Deutsch
Spanisch – Deutsch	Französisch – Deutsch	Holländisch – Deutsch
Japanisch – Deutsch	Türkisch – Deutsch	Russisch – Deutsch
Plattdeutsch – Deutsch	Deutsch	Lateinisch – Deutsch

BDS Verlag Klaus Stute
Wörther Straße 36 · 28211 Bremen · Telefon 04 21- 32 53 73 · Fax 04 21- 32 53 93

The Bremen Town Musicians

Die Bremer Stadtmusikanten

Ein Märchen der Gebrüder Grimm
Illustrationen von Eva Maria Johannsen

A man once had a donkey, who had carried sacks to the mill unflaggingly for many years. But now he was losing his strength and could hardly manage the work any more. His owner intended to let him starve but the donkey, noticing that things looked bleak, ran away, taking the road to Bremen. There, he thought, he would become a musician.

Es hatte ein Mann einen Esel, der schon lange Jahre die Säcke unverdrossen zur Mühle getragen hatte, dessen Kräfte aber nun zu Ende gingen, so dass er zur Arbeit immer untauglicher ward. Da dachte der Herr daran, ihn aus dem Futter zu schaffen. Aber der Esel merkte, dass kein guter Wind wehte, lief fort und machte sich auf den Weg nach Bremen. Dort, meinte er, könnte er ja Stadtmusikant werden.

After a while, he came across a dog lying in the road, panting exhaustedly. "Why are you panting like that?" the donkey asked. "Oh," moaned the dog, "I'm getting older and weaker day by day and now that I can no longer go hunting, my owner is going to beat me to death, so I`ve run away. What am I going to do?" "Do you know what?" said the donkey, "I'm on my way to Bremen to become a musician. Come and join me. I'll play the lute and you can beat the drums." The dog agreed and so they walked on together.

Als er ein Weilchen fortgegangen war, fand er einen Jagdhund auf dem Wege liegen, der jappste wie einer, der sich müde gelaufen hat. „Nun, was jappst du so, Packan?", fragte der Esel. – „Ach", sagte der Hund, „weil ich alt bin und jeden Tag schwächer werde, auch auf der Jagd nicht mehr fort kann, hat mich mein Herr wollen totschlagen, da hab' ich Reißaus genommen; aber womit soll ich nun mein Brot verdienen?" – „Weißt du was?", sprach der Esel, „ich gehe nach Bremen und werde dort Stadtmusikant, geh mit und lass dich auch bei der Musik annehmen. Ich spiele die Laute, und du schlägst die Pauken." Der Hund war's zufrieden und sie gingen weiter.

It was not long before they saw a cat in the road, looking utterly miserable. The donkey said, "What's the trouble, old Puss?" "I have nothing to laugh about. My life is a stake," said the cat. "Now that I'm getting on in years and my teeth are not as sharp as they used to be, and I prefer sitting near the stove to chasing after mice, my mistress wants to have me drowned. So I've run away. But now I really don't know what will become of me." "Come with us to Bremen! Surely you still have a good voice. You too can become a musician," was the prompt reply. The cat, relieved and grateful, set off with them.

Es dauerte nicht lange, so saß da eine Katze an dem Weg und machte ein Gesicht wie drei Tage Regenwetter. „Nun, was ist dir in die Quere gekommen, alter Bartputzer?", sprach der Esel. – „Wer kann lustig sein, wenn's einem an den Kragen geht", antwortete die Katze, „weil ich nun zu Jahren komme, meine Zähne stumpf werden und ich lieber hinter dem Ofen sitze und spinne, als nach Mäusen herumjage, hat mich meine Frau ersäufen wollen; ich habe mich zwar noch fortgemacht, aber nun ist guter Rat teuer: wo soll ich hin?" – „Geh mit uns nach Bremen, du verstehst dich doch auf die Nachtmusik, da kannst du ein Stadtmusikant werden." Die Katze hielt das für gut und ging mit.

Soon the three runaways came past a farm, where a cock was sitting on the gate, crowing away at the top of his voice. "What a dreadful noise!" said the donkey, "what is it all about?" The cock answered, "I have forecast good weather, because it is the Day of the Virgin Mary, when she washes the garments of the Baby Jesus, and wants to hang them out to dry. But tomorrow is Sunday, guests are expected, and the lady of the house knows no mercy. She has told the cook to put me in the soup and this evening I'm getting my head chopped off. So now I'm crowing as loudly as possible, while I still can."

Darauf kamen die drei Landesflüchtigen an einem Hof vorbei; da saß auf dem
Tor der Haushahn und schrie aus Leibeskräften. „Du schreist einem durch Mark
und Bein", sprach der Esel, „was hast du vor?" – „Da hab' ich gut Wetter pro-
phezeit", sprach der Hahn, „weil unser lieben Frauen Tag ist, wo sie dem Christ-
kindlein die Hemdchen gewaschen hat und sie trocknen will; aber weil morgen
zum Sonntag Gäste kommen, so hat die Hausfrau doch kein Erbarmen und hat
der Köchin gesagt, sie wollte mich morgen in der Suppe essen und da soll ich
mir heut' Abend den Kopf abschneiden lassen. Nun schrei' ich aus vollem
Hals, solang ich noch kann." –

The donkey said, "Come away with us instead. We're going to Bremen. That is much better than putting your head on the block. You have a good strong voice and if we all make music together, it is bound to be a success." How pleased the cock was with this idea. All four travelled on together.

Being unable to reach Bremen that same day, they decided to stop for the night in a forest. The donkey and the dog lay down under a big tree, the cat and the cock climbed up into the branches, the cock fluttering right up to the top, where he felt safest. Before he went to sleep, he had a good look in all directions and suddenly, in the distance, he seemed to see a tiny light flickering.

„Ei was, du Rotkopf", sagte der Esel, „zieh lieber mit uns fort, wir gehen nach Bremen, etwas Besseres als den Tod findest du überall; du hast eine gute Stimme und wenn wir zusammen musizieren, so muss es eine Art haben." Der Hahn ließ sich den Vorschlag gefallen und sie gingen alle vier zusammen fort.

Sie konnten aber die Stadt Bremen in einem Tag nicht erreichen und kamen abends in einen Wald, wo sie übernachten wollten. Der Esel und der Hund legten sich unter einen großen Baum, die Katze und der Hahn machten sich in die Äste, der Hahn aber flog bis in die Spitze, wo es am sichersten für ihn war. Ehe er einschlief, sah er sich noch einmal nach allen vier Winden um; da deuchte ihn, er sähe in der Ferne ein Fünkchen brennen

He called to his companions that he had found a house with a lamp burning. The donkey replied, "Let's move on and try to find it. This is not such a good place to stay." The dog said, "A few bones with a bit of meat on them would do me good." So off they went towards the light, which soon became stronger and brighter, until they found themselves at a robbers' den. The donkey, the biggest of the four, looked in at the window. The cock asked what he could see. "What can I see? I see a table laden with lots to eat and drink, and there are robbers sitting around it, eating their fill."

und rief seinen Gesellen zu, es müsste gar nicht weit ein Haus sein; denn es scheine ein Licht. Sprach der Esel: „So müssen wir uns aufmachen und noch hingehen; denn hier ist die Herberge schlecht!" Der Hund meinte, ein paar Knochen und etwas Fleisch daran täten ihm auch gut. Also machten sie sich auf den Weg nach der Gegend, wo das Licht war und sahen es bald heller schimmern und es ward immer größer, bis sie vor ein hell erleuchtetes Räuberhaus kamen. Der Esel, als der Größte, näherte sich dem Fenster und schaute hinein. „Was siehst du, Grauschimmel?", fragte der Hahn. „Was ich sehe?", antwortete der Esel, „einen gedeckten Tisch mit schönem Essen und Trinken und Räuber sitzen daran und lassen's sich wohl sein." –

The cock said, "Just the thing for us!" and the donkey added, "How I wish we were in there." The animals put their heads together to find a way of chasing the robbers away. Shortly they settled on the following plan. The donkey propped his forelegs up on the sill, the dog jumped on to his back, then the cat on the dog's back and the cock flew up and perched on the cat's head.

„Das wäre was für uns", sprach der Hahn. „Ja, ja, ach, wären wir da!", sagte der Esel. Da ratschlagten die Tiere, wie sie es anfangen müssten, um die Räuber hinaus zu jagen und fanden endlich ein Mittel. Der Esel musste sich mit den Vorderfüßen auf das Fenster stellen, der Hund auf des Esels Rücken springen, die Katze auf den Hund klettern und endlich flog der Hahn hinauf, setzte sich der Katze auf den Kopf.

At a given sign, they all began to make music. The donkey brayed, the dog bar-
ked, the cat miaowed and the cock crew. Then they stormed in through the
window. Astonished, the robbers leapt to their feet and in panic, fled into the
forest.

Wie das geschehen war, fingen sie auf ein Zeichen insgesamt an, ihre Musik zu machen: der Esel schrie, der Hund bellte, die Katze miaute und der Hahn krähte; dann stürzten sie durch das Fenster in die Stube hinein, dass die Scheiben klirrten. Die Räuber fuhren bei dem entsetzlichen Geschrei in die Höhe, meinten nicht anders, als ein Gespenst käme herein und flohen in größter Furcht in den Wald hinaus.

Now, the four comrades sat down at the table and made the best of what was left, eating as if there was no tomorrow.

When they were finished, they dowsed the light and went to seek comfortable places to sleep, each according to his needs. The donkey lay down on the dungheap outside, the dog behind the door, the cat on the stove beside the warm ashes and the cock flew up to a perch on the roof. Tired from their long march, they all soon fell asleep.

Nun setzten sich die vier Gesellen an den Tisch, nahmen mit dem vorlieb, was übrig geblieben war und aßen, als wenn sie vier Wochen hungern sollten.
Wie die vier Spielleute fertig waren, löschten sie das Licht aus und suchten sich eine Schlafstätte, jeder nach seiner Natur und Bequemlichkeit. Der Esel legte sich auf den Mist, der Hund hinter die Türe, die Katze auf den Herd bei der warmen Asche und der Hahn setzte sich auf den Hahnenbalken; und weil sie müde waren von ihrem langen Weg, schliefen sie auch bald ein.

After midnight, the robbers, seeing no light in the house, hoped that the coast was clear. Their leader said, "We should not have given in so easily." He told one of his men to sneak back and see what was going on. The robber found everything quiet and went into the kitchen to kindle the light. Mistaking the cat's fiery glowing eyes for burning coal, he held a taper to them. The cat immediately sprang up at his face, spitting and scratching. Frightened, the robber made for the back door, where the dog jumped up and bit him in the leg.

Als Mitternacht vorbei war, und die Räuber von weitem sahen, dass kein Licht mehr im Hause brannte, auch alles ruhig schien, sprach der Hauptmann: „Wir hätten uns doch nicht sollen ins Bockshorn jagen lassen", und hieß einen hingehen und das Haus untersuchen. Der Abgeschickte fand alles still, ging in die Küche, ein Licht anzuzünden und weil er die glühenden, feurigen Augen der Katze für lebendige Kohlen ansah, hielt er ein Schwefelhölzchen daran, dass es Feuer fangen sollte. Aber die Katze verstand keinen Spaß, sprang ihm ins Gesicht, spie und kratzte. Da erschrak er gewaltig, lief und wollte zur Hintertüre hinaus, aber der Hund, der da lag, sprang auf und biss ihn ins Bein.

As he staggered past the dungheap, the donkey lashed out with his hind hooves. Up on the roof, the cock, aroused by all this din, began to cry, "Cock-a-doodle-doo!"

The robber fled speedily back to where the others were waiting and said, "There's a fierce witch in there, who spat at me and tore me with her long fingernails. At the door, there's a man with a knife, who stabbed my leg. Out in the yard, there is a black monster, who set on me with a wooden club. And up on the roof, the judge sits, shouting, "Bring the rogue to me!" So I got away as best I could".

Und als er über den Hof an dem Mist vorbei rannte, gab ihm der Esel noch einen tüchtigen Schlag mit dem Hinterfuß; der Hahn aber, der vom Lärmen aus dem Schlaf geweckt und munter geworden war, rief vom Balken herab: „kike-riki!" Da lief der Räuber, was er konnte zu seinem. Hauptmann zurück und sprach: „Ach, in dem Haus sitzt eine gräuliche Hexe, die hat mich angehaucht und mit ihren langen Fingern mir das Gesicht zerkratzt: und vor der Türe steht ein Mann mit einem Messer, der hat mich ins Bein gestochen; und auf dem Hof liegt ein schwarzes Ungetüm, das hat mit einer Holzkeule auf mich losge-schlagen: und oben auf dem Dache, da sitzt der Richter, der rief: ‚Bringt mir den Schelm her!' Da machte ich, dass ich fortkam."

The robbers did not dare go back to the house but the four musicians felt so contented there that they never wanted to leave again.
And as far as I know, they are still there to this day.

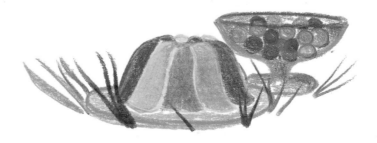

Von nun an getrauten sich die Räuber nicht weiter in das Haus, den vier Bremer Musikanten gefiel's aber so wohl darin, dass sie nicht wieder heraus wollten. Und der das zuletzt erzählt hat, dem ist der Mund noch warm.